D1175619

Registreer u op onze website en we sturen u regelmatig een nieuwsbrief met informatie over nieuwe boeken en met interessante, exclusieve aanbiedingen.

www.lannoo.com
www.tomschamp.com

Vormgeving: Tom Schamp en
Studio Lannoo (Aurélie Matthys)

D/2018/45/660 | NUR 273
ISBN 978 94 014 4363 0

Dank aan Katrien, Noa en Carolien
voor het betere snijwerk!

De auteur ontvangt een werkbeurs van het
Vlaams Fonds voor de Letteren. Waarvoor dank.

het mooiste boek van alle

KLEUREN

ENCYCLOPEDIA OTTO-COLORISTA

LANNOO

Op een ochtend wordt
Otto wakker...

'Waarom is alles
zo grijs vandaag?'

GRIJS
is ook een kleur.
'Boven de wolken is de lucht altijd blauw!'
'Ik zie alleen maar grijs.'
LEON
Wanneer het bewolkt is, lijkt alles grijs en grauw.
Elke wolk heeft een ZILVEREN randje.
Veel mooie dingen zijn grijs!
Het grootste landzoogdier ter wereld is grijs!
Mist is grijs.
'Is het nog ver?'
GRAU
ZONE
'Onze auto is grijs!'
Er zijn veel tinten grijs...
50
TINTEN GRIJS
TOM
De straat is grijs.
Schaduw is grijs.
ik TOM
GROOT GRIJS gesneden
metaalgrijs
steengrijs
Onze voornaamste grondstof is grijs.
grijze cellen
grijs palet

NÓÓIT ZEUREN OVER KLEUREN!

op REIS met GRIJS!

Grijs is zwart met wit erbij.

regenwolkje

Als de wolken echt te donker worden, hebben ze witte sneeuw aan boord!

Is er een zee mooier dan de grijze Noordzee?

rooksignalen

Witte rook betekent toestemmen.

Deze witte geitjes wonen in een gezellig, grijs huisje.

Zwarte rook betekent wachten.

'Eerbied voor mijn grijze haren!'

GREY

WE FADE TO GRAY

Dit geitje telt vooral schaapjes.

Berkenlaan 20

Wie kan er al tot 7 tellen?

'Ik bevind me in de grijze zone.'

Een baby-olifantje is niet roze!

Het voetpad is grijs.

grijs = wijs

GRAU

Opa is grijs.

Oma is grijs.

Zilveren bruiloft!

Worden we wijzer met het tikken van de wijzers van de klok?

zilver-berk

Krantenpapier is grijs.

the Grey Cats

'De waarheid is nooit helemaal zwart of wit.'

GRIJS = ZWART + WIT
zwarte rook van verbranding
Molletje is in de wolken met zijn job.
roetzwart
witte rook van stoom
Een orka is zwart-wit.
KETTLE BLACK
Een potvis is ketelzwart.
ZWART
Zonder wit, geen zwart.
RAM JAM
'Lekker lammetje!'
'Hoed u voor een wolf in schaapsvacht!'
Jim & Janneke
(w)arm schaap
Een zwart schaap is de zondebok en een wit lammetje is onschuldig.
Ook zwarte koeien geven witte melk...
Voorzichtigheid geboden!
Tien geboden!
'De waarheid zwart op wit!'
'Grijze, wijze woorden.'
'Wie wil er met mij spelen?'
raven-zwarte haren
R.I.P.
De wereld-godsdiensten kiezen vaak voor zwart en wit.
Aan deze kant van de wereld is zwart de kleur van rouw.
Spijkerbedminton :-)
'Ik heb mijn koffie het liefst zwart zwart.'
'Voor mij mag er wat witte room bij.'
HOLY COW
Deze koe verenigt het beste van beide werelden!
We moeten de zaken ook niet te zwart-wit voorstellen.
'Kijk eens naar het vogeltje.'
the End
Het tv-toestel van overgrootvader
FLASH
Het fototoestel van over-over-over-grootvader
'Welk vogeltje?'
roomwit
Vroeger was alles toch wat meer zwart-wit.
Een zwarte kat brengt geen ongeluk, behalve voor een grijze muis.
'Koffiekan, jerrykan, alles kan!'
witten zwanen
SCHAAK MAT
schaakbordpatroon
'In die tijd moest je lang stil zitten en wachten.'
Ebony Ivory
Ook eksters, orka's, zebra's, reuzenpanda's, piano's, pinguïns en dalmatiërs zijn zwart-wit.
zwarte beer
ijsbeer
Zwart en wit klinken ook goed samen!
'Oké, ik zag het een beetje te zwart in.'
THINK
inktzwart
Of is dit zout?
wit paard
Zwart en wit spelen mooi samen!
zwart paard
Zwarte mieren houden van witte suiker.
Een zwarte weduwe vindt niet makkelijk een nieuwe partner...
...met deze harige benen.

WIT
Zuiver wit komt bijna niet voor in de natuur.
'Wit wit wit...'
'... wat drinkt een koe?'
Black = Beautiful
melkwit
Naar verluidt woont er een witte muis in dit witte huis.
Vrede!
witte vlag
Met witte woede schrijf je enkel zwarte bladzijden.
witte vredes-duif
Wit is de kleur van de maan.
Zwart is de kleur van de nacht.
OOST WEST THUIS BEST
Wat is mooier dan de witte sneeuw te zien vallen vanachter je raam?
Wat een cadeau voor de vrouw van een prins!
'Hopelijk zien we dit jaar geen zwarte sneeuw.'
ice ice baby
sneeuwwit
Ik zag 2 beren, ijsberen.
melktanden
DENTI FRESH
Wie hagelwitte tanden wil zal goed moeten poetsen!
sneeuwuiltje
Corbillard
Op andere plaatsen is wit de kleur van rouw.
Zijn zebra's wit met zwarte strepen?
Of zwart met witte strepen?
Een zwarte panter zie je 's nachts bijna niet.
zwarte panter
Billy Jean is not my love
Zebrapaden en verkeerslichten zijn ook zwart-wit gestreept.
BAR Code
24/7
'Berken zijn de zebra's van de bomen!'
Een wit konijn
Albino dieren missen kleurpigment
En ze hebben rode ogen.
WHITE
artan Terriërs
1
2
3
101 dalmatiërs hebben samen meer dan 1001 vlekjes.
Dit lijkt wel een sprookje van 1001 nacht.
'Wie wil er mee naar Engeland varen?'
zwarte zwanen
OPPOSITES ATTRACT
Tegengestelden trekken elkaar aan.
Een witte haai is meestal niet uitgenodigd.
witte haai
'Dieren kijken altijd naar het wit van de ogen.'
bruidegom
bruid
zwarte parel
Dit zwart vogeltje komt uit een wit ei!
zwarte pensen
KARATE Kitten
Hi!
'Wie is hier het echte Sneeuwwitje?'
Snow white
witte gordel
zwarte gordel!
Zolang het maar niet onder de gordel is!
RIP SPIDER-MAN
Onder de grond is alles pikzwart.
In judo begin je met een witte gordel.
En eindig je met een zwarte.
De bruid is in het wit en de bruidegom is in het zwart.
Sprookjes blij... wel altijd mooi.

GEEL

citroengeel

Er zijn veel tinten geel!

GEEN ZON GEEN KLEUR!

zonnebril

Geel is de kleur van de zon.

Wie niet goed poetst, krijgt gele tanden.

De koning van de dieren staat regelmatig op de cover van dit natuurtijdschrift met een geel randje.

De meeste emoji's zijn geel, net als de Minions en de Simpsons.

Geel is ook de kleur van jaloezie.

Dit is de oorspronkelijke smiley.

Colair

gele bliksem

Na regen komt zonneschijn.

Duck & Cover

En soms komt er ook een regenboog

'Wel opletten voor ultraviolette stralen!'

zonnebad

zonnehoed

'Ha, Hu & Go!'

zonnekind

Napels geel

Wie kent de Gouden Gids nog?

'Is dit de zwarte zee?'

Hellow!

Gele eendjes zwemmen graag in bad of op de kermis.

Vis en citroen gaan uitstekend samen.

'Zo gaat de waterkwaliteit om zeep.'

zeep

shampoo

marée noire?

Een zaklamp geeft geel LICHT!

I'd like 2 B

under the C

SUN

Hello SUBMARINE

HERE comes the SUN

I AM the WALRUS!

SUN SUN SUN

Deze 4 oude muzikanten zijn nu nog maar met 2.

'Is vissen een werkwoord?'

in an OTTOPUS'S GARDEN

GO FISHING

Ook de maan is soms geel.

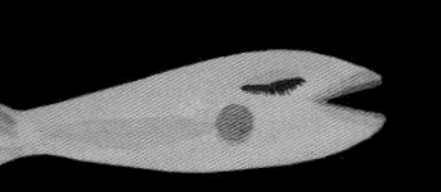

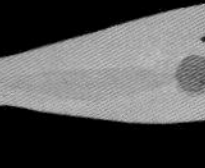

Georges Paul Ringo Starfish John Lemon

In ondiep water

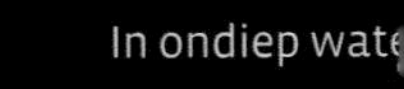

Oude Franse auto's
hadden gele koplampen.
TOUR de FRANCE
TOUR de FORCE
Ook in Australië wordt er een ronde gereden, maar daar is de gele leiderstrui mosterdkleurig.
DOWN UNDER
'Muziek is mijn doping!'
SUNNY
'Moeten die over die berg?'
Mayonaise komt uit de stad Mahon.
MAYO JAUNE
De leider in de Ronde van Frankrijk rijdt in de gele trui.
De witte trui is voor de beste jonge renner.
AMOR
DIJON
'Rijden die renners enkel op vitamientjes?'
Béarnaise komt uit de Béarne, een streek aan de voet van de Pyreneeën.
De wereld-kampioen draagt de regenboog-trui met trots.
De ontwerper van deze trui zag nog nooit een regenboog.
Mosterd komt meestal uit Dijon.
L'Originale MOUTARDE
LANCE
LEMONDE
Lijkt wel een zandkasteel!
driewielertoerist
Radio TOUR
B Bearn à l'aise
'Wie staat er scherp?'
F R A N C E
'Pomp je banden maar op.'
Een graanveld is goudgeel.
LIME
Limonade is vruchtensap met prik en suiker.
LIGHT
gouden regen
Grapefruit
CHEESE
Zo'n bol kaas heet ook een 'wiel'.
Gele bekjes houden van gele kaas.
Cheese!
EXOTIC
plakje jonge kaas
oude kaas
blokje kaas
CHEESE
appel
peer
Mango's zijn geel vanbinnen.
Ananas ook!
vruchtensap
Soms helemaal zonder fruit!
mayonaise met FRIET
'Hoeveel kuikens zijn er zo ongeveer?'
Héél véél lekkere dingen zijn géél.
Kanaries zijn geen parkieten!
gouden kooi
Goud-geel gerste-nat
'Pot-tan-doorie!'
SOUP
SOUP
'Eten jullie kippensoep?'
'Dit lijkt wel een Kanarisch eiland!'
GOLDEN CAGE
zuidwester
'Géél véél vissen!'
'Dat boeit niet.'
'Géél véél vogels!'
spiegelei
De dooier is het geel van een ei.
zacht gekookt eitje
Kippen zijn enkel geel wanneer ze klein zijn.
MONKEY BUSINESS
we all leave in a yellow submarine
Deze 2 oude garnaalvissers dragen gele oliejekkers.
Ook veel gele bloemetjes en bijtjes!
Een mees blijft altijd een beetje geel.
'Ik ben een schoolmees.'
HET GELE GEVAAR!
Wespen maken weinig vrienden.
zonne-bloem
I ♥ FISH
tulpen
sol-sleutel-bloem
sleutel-bloem
Honey
Honey
Bijen maken honing.
zeesterrendom
'Wij zijn roze...'
'Ik ben maar een kleine grijze garnaal.'
...ordt er ook met paarden gevist.
paarden-bloem
2 narcissen op hun paasbest.
M

BANANA REPUBLICA
Aan de overkant van de oceaan valt nog meer geel te ontdekken.
Let's go
Bananen zijn nog groen wanneer ze aan hun reis beginnen.
BANANA REPUBLIC
REPUBLIQUE BANANES
BANANAS
BANANA BOAT song
'Blijven smeren.'
FLECHA AMARILLA
Soy loco por ti AMERIKA
Maïs komt uit Amerika.
Misschien worden ze wel geel van heimwee.
GUSTI BUS
Deze Amerikaanse schoolbussen vertrekken samen op schoolreis.
Rime on Mr Simon
Kodachrome
73
35 mm
Dit lijken wel Kwik, Kwak en Kwek!
TAXI papa
Op school zijn de potloden vaak geel.
SALE
'Als we er maar op tijd geraken!'
Dit lijkt wel een limousine!
CAB
Jamaican
Limonada
Nicky Lada
In New York rijden grote gele taxi's.
Tom
Deze aap werkt niet voor nootjes.
SZPLIT
XING
TICKET to ride
BIG APPLE
BANANA SPLIT!
MONKEY BUSINESS
KingKong
SLIPPERY WHEN WET!
GELE GROTE appel
Opgelet: banaan en schil!
TICKET
BIG YELLOW TAXI
HITS
MISSES
the Singles Recollection
Dit is wel een heel grote taxi!
Opgelet: bananenschil!
Wegmarkeringen zijn ook geel.

'Ave!'
'UV!'
Copa América
EU ♥ RIO
SAMBA
FUTBOL
Veel mensen vliegen jaarlijks naar de zon.
HOTel strogeel
Niño
kameel-geel
zandgeel
COSTA del SOL!
'Geen zon, geen kleur!'
Surfin Rastafari
'Lijd jij ook aan geelzucht?'
'Nee, ik ben een geelonthouder.'
Copa Cabana
a SELEÇÃO / os CANARINHOS (BRAZIL)
In Brazilië speelt de nationale ploeg in het geel.
'Pas maar op voor een gele kaart!'
'Nee, maar Junior!'
KAKA
DON'T YOU EAT THAT YELLOW SNOW
Ook de scheidsrechter draagt soms een geel truitje.
Vamos a la playa
Geen plaats voor kaka-pipi grappen!
'Aan de andere kant van het strand is ook nog zand!'
Deze mieren hebben een heel jaar hard gewerkt en zijn toe aan vakantie!
Yellow Stone
COOL
Opgelet: toeristen!
SUN
Bible Belt
gele ballon
'Onze jongste is niet echt een haantje de voorste!'
BUS
TOO MANY EMOJIS
STOP
WHO LET THE DUCKS OUT!?
BANANA-
ELECTRICAL-
'Eendje is geentje!'
CALL ME MELLOW YELLOW
Mama Kip heeft nu al heimwee.
Judo komt uit Japan.
gele gordel
JU-DO-CAT
SUNNY
SAX O PHONE COLOSSUS
ROLLINS
Heeft er iemand heimwee naar oude gele spullen?
YELLOW SUBMARINE
the BEATLES
tape
De Gele Rivier in China heet zo omdat ze veel geel slib meevoert.
Opgelet voor kangoeroes in Australië!
CALL ME BLONDIE!
goudlokje
Rode verpakkingen die te lang in de zon liggen, worden geel.
DOWN UNDER
Wie blond haar wil inkleuren, gebruikt best zachtgeel.
HET GELE TEKENEN
Cold Play

Goed opletten wanneer het licht op oranje springt!
ORANJE
rood + geel
= oranje
...en appeltjes van oranje!
Piet Hein!
ORANGE COUNTY
ALLMEN BROTHERS
naranja
ORANGE COUNTY
laranja
Pippi Lang-kous!
Orange!
In veel talen is de naam van de kleur 'oranje' dezelfde als het woord voor 'sinaasappel'.
'Boordevol vitamientjes!'
Een glas sinaasappelsap voor elk...
Ook het sap is oranje.
...en voor de baby wat melk!
Mandarina DUCK
arancione
Een mandarijn is iets kleiner.
Een clementine nog kleiner!
De sinaasappel is de moeder van alle citrusvruchten.
James BRAUN
Opgelet wanneer kleine katjes zich aan een bord spaghetti wagen.
ZOFF
'Helaas hebben we geen oranje roomijs.'
'Wel water-ijs!'
'PIPPI LANGSTRUMPF'
En gebak!
'Ik wil graag naar mijn familie.'
I ♥ RAGU
Uncle Ben's
ola
Paola
Komt helemaal uit Zweden.
tomaat en soep
carré à la confiture
'Deze vogels hebben een knipperlicht-relatie.'
Na oranje komt rood.
Moet deze bagage nog mee met deze pompeuze postkoets?
NACHT RAVEN
'Voor middernacht zullen wij niet thuis zijn!'
Chaumes
Cheddar
Een klein beetje culturele bagage kan zeker geen kwaad.
TRAVEL
LIGHT
Dat zijn geen Nederlandse kaassoorten.
In naam van Oranje doe open de poort!
'Allemaal spek voor de raaf zijn bek!'
Fox tale
Als Mr. De Vos de passie preekt
Kunnen we hier even bij stilstaan?
ik ♥ kip
'Ik moet wel thuis zijn voor middernacht!'
Fox tail
'Eerst betalen!'
PARKING TICKET to ride
Poetst de koetsier de postkoets met postkoetspoets?
FOX HUNT
In de herfst wordt een zonnebloem haast oranje.
Glaasje Spritz? Laat je rijden!
night shade
NO THX
Fox tail SOUP
Fish tail
'Als die vos een prins is, dan ben ik Napoleon.'
goud-vis
'Is goud-vissen ook een werkwoord?'
'Ik moet dat hier nog uitvissen.'

Piet Hein!!
'Is Piet de broer van Albert?'
CODE ORANJE
Wist je dat de naam van het Huis van Oranje uit het Zuid-Franse stadje Orange komt?
DEPANINI
Veel Nederlandse helden op deze sticker!
Willem van ORANJE BOVEN
'Oranje-gekte!'
ontbijt!
Extreem weer en kans op schade!
'Is fruithagel hagelslag of tegenslag?'
DEPANINI & CO.
24/24
HUP HUP
ORANJE
ORANJE (NEDERLAND)
Is dit het Huis van Oranje?
Oranje wordt soms wel 'peentjeskleur' genoemd.
Opslag!
tulpen uit Hamsterdam
ORANGE MECANIQUE!
CLOCKWORK ORANGE
Otto heeft al zijn oranje judogordel!
GRUPPO SPORTIVO
40 love!
'Zijn we al zo laat op het jaar?'
HALLOWEEN
KRAAI baby!
TENNIS COURT
côté court
côté Jardin
We worden afgeleid of beter: omgeleid!
LAPOSTE
STORM
NAJAARS
kraaienpoten
Het hof gemaakt en om de tuin geleid.
fluo-hesje
Gebakken aarde.
Gebakken lucht?
'Ik word later tennis-ster.'
cultuur
Griekse vazen zijn vaak oranje en zwart.
Wat is even oranje als 2 orang-oetans in een herfstboom?
Tom
Χρόνος
ora et LABORA
natuur
'En mijn zus ook!'
Dit oranje tennisterrein is gemaakt van gestampt aardewerk en bakstenen.
aarde-werk
I mama
tijd vliegt
Er is te weinig plaats voor Moeder Natuur.
GRAVEL
brique pilée!
EG-EN-WERKEN
Orang-oetan betekent 'mens van het woud'!
'Blijven rijden!'
'Niet stampen!'
Een roodborstje is ook oranje.
'Maak je borst maar nat!'
R A N G E
G
'Klaar voor het Tijger-bal?'
Fox NEWS
Tijgerbalsem voor de ziel!
Kopje thee?
T REX
Orange Blossom
'Fishsticks zijn ook oranje.'
Als je plas oranje wordt, moet je meer drinken.
thee (bij-voor-beeld)
kreeften-soep
Vis in blik!
Zalmroze is ook oranje.
PISKE d'Homard
Crap
'Ken ik jou nergens van?'
'Mijn naam is Niemand!'
Schotse zalm
whisky?
mandarijnen-drankje

ORANJE
ORANG UTAN
BOVEN
Plant eens een boom!
'Pas moe oep
of ik draai u
in de soep.'
SMASHING
Pumpkin
BAT COMPANY
Hier wordt wat uitgehold.
Hier wordt wat afgehold.
'Hallo, ween niet!'
TIGER...
ŁODZ
TIGER...
WOOPS
Hoeveel tijgers vind je nog in de vrije natuur?
DAD's Colore
ORANGE
Oranjebloesem is eigenlijk wit.
BLOSSOM
Bengaalse tijgers komen uit India.
Deze strepen lijken opvallend, maar zijn bedoeld om net minder op te vallen in het landschap.

roseHip
Rozenbottel heeft ook een oranje tint.
HEY HIPPIE!
rood + geel
= oranje
FEESTJE
Fanta
Claus
SANTA CRUISE
tiera del FUEGO
vuurland
Vurige voetbal-supporters!
HOLY GANS!
Oranje is ook de kleur van VUUR!
Deze oranje kerstmannen komen nog te laat op hun afspraak in Londen...
TABASCO
BRANDBAAR!
'Nooit te veel nemen, Otto!'
giftig
BLACK BOX Revelation
vuur-water
I ♥ RAGU
berg spaghetti
easy.bed
bevindt zich achteraan
De zwarte doos van een vliegtuig is oranje!
RECORDER
DO NOT OPEN
koper-draad
Dit is geen schoendoos!
Pel di Carota!
Wat is mooier dan een vurige haardos?
'Ik zie het...'
BOS BRANDEN!
peen-haar
HIMALAYA
GROAAAR
gers zijn licht ontvlambaar!
ORANGE COUNTY
BRAND WEER
Indische vlag
Indische olifant
Indian Summer
L'été Indien
Deze Smurf is ook licht ontvlambaar.
lange tenen
ECIAL
lalala
Een strandbar is brandbaar!
HOLY COW
BELLEN
Orange Pekoe is zwarte thee.
REDDY MADE
Heilige koe!
KORT lontje!
BRAND GEVAAR!
Hoe is dat nu toch MOWGLY!?
droog gras
lucifers
Voor je het weet staat de rimboe in vuur en vlam.

City Trip
ROOD
Na oranje komt rood!
in the name of LOVE!
In Londen kun je veel rood ontdekken zoals op wachthuisjes, telefooncellen, post- en andere bussen.
De taxi's zijn er zwart.
TAXI
My other car is a Ferrari
POSZTA
LETTERMAN
Maar rond kerst kleurt Londen altijd extra rood!
NINE O'CLOCK BUS
BILL BOARD
'Infra-rood?'
STOP
rood licht
Rood wordt vaak gebruikt om dingen te verbieden.
een-richtings-verkeer
mazelen?
'Mazzel!'
Bij rood moet iedereen stoppen!
Niet meer dan 25 per uur!
25
'Km of mijl?'
100
het Rode Kruis
Deze jonge rode hond heeft last van kinderziektes.
rood-vonk!
JOHN REINDEER X MAS
Geen door-gang!
Opgelet! Glad wegdek!
Niet wachten!
Mag hier wel iets?
Niet parkeren!
Is deze kerstboomventer ook een hulpdienst?
'Dragen jullie nu nog beren-mutsen?'
Enkel hulpdiensten mogen door het rood rijden.
'Brand!'
RED ALERT
'Brand!'
'Een rood aangelopen katje!'
Daar komt een rood katje aangelopen!
This is London
'Jullie gaan de foute kant uit!'
'Hier rijdt iedereen aan de foute kant van de weg!'
GROAR
Het gaat hier allemaal de foute kant op.
with water
FIGHTING FIRE
spa rood
Britten houden van tradities.
HIGHER GROUND
'En daar is geen water...'
BRAND HEEN!
Fox tail
FOX HUNT!? NO THX
THE STAKES ARE HIGH
Gelukkig is er meer dan één brandweerwagen!
FIGHTING FIRE WITH FIRE
WHERE is Red ADAIR?
RED ALERT
SHOP UNTIL YOU DROP
'En van honden!'
'En van paarde
Circus Dragone
R&D
BRANDWEER!
De rode loper wordt uitgero
'En daar is geen water...'
XXX mas girl
LONDON CALLING
'Vanwaar die holle blikken?'
Cold
Play
Soms bestrijdt men vuur met vuur!
Er is iets mis met de
KNAL POT
UNDERGROUND

HI T
Met melk, please!
PHONE BOOTH
De telefooncel is de grootvader van de smartphone.
Hi
LONDON
DADDY
COOL
montRouge
+ rouge, t'es mort ;-)
Rood is de kleur van de liefde.
POLISH
LIPSTICK & NAIL
Hi
After Eight
CHANGING of the GUARDS
Het weer is weer mistig.
Een wachthuisje is geen telefooncel.
en telefooncel is
een wachthuisje.
WAKE UP
MAKE UP
16 years
♪ The moment I wake up ♫
before I put on my make up...
'Bent u een Beefeater?'
Ho Ho Ho
X MASS
SHOPPING
Ho Ho Ho
BUS STOP
Verslingerd aan Robbedoes!
merry Christmas Happy NEW year
Stapelgek!
ardon?'
Fox tale
the lady in RED
Foxy Lady
HOP ON ↔ HOP OFF
SHOP ON
Wat is roder dan een rode dubbeldekbus vol kerstmannen?
AHA!
CADEAUTJES! TIJD!
Victorian Secrets
GIRLS will be GIRLS
3 English roses
Paul Smith sjaaltje
Ferrari 250 uit 1952!
'Konijn met pruimen?'
'Ik ging weer over de rooie.'
a rose =a rose =a rose
Rozen zijn meestal mooi rood, maar hebben vaak doornen.
Santa's BIG BAG
BOYS will be BOYS
Sportmannen rijden graag in sportauto's.
Wat zit er in al die pakjes?
'Alweer schoenen!'
'Alweer handschoenen!'
BOOT
MOON
Iedereen wil een Zwitsers zakmes.
Sportwagens zijn vaak knalrood.
Net GEVERFD
Rood en groen zijn complementair.

Ook op andere plekken kleurt de wereld rood.
GOLDEN GATE Bridge
SUN SET
De zon gaat onder in het westen.
3 billboards
BILL BOARD
Een esdoorn staat symbool voor Canada.
Stallingen in Scandinavië en Noord-Amerika werden ooit geschilderd met de roestige resten van oude landbouwwerktuigen.
RED BARN
rode schuren
Ze kleuren dus niet rood door ossenbloed.
STEAK
THE STEAKS ARE HIGH
No8
THERE'S A RED HOUSE over yonder
Alles is GROTER in AMERIKA
UP SIDE IS DOWN
RED BEANS
RED BEANS
RED BEANS
rode nek
'Damn HOT!'
rode bonen
Dat is geen echt bloed maar KETCHUP!
RED HOT coffee
Red
I ♥ NY
LITTLE RED ROOSTER
J'AI LU
a)
b)
c)
A
B
huisje van stro
HELP!
Mijn man is geen klusser!
huisje van hout
huisje van Jan Steen!
Welk biggetje bouwt aan welk huisje?
Even een blik werpen op het eten...
BLOED-ROOD?
américain préparé!
Toren van pizza's!
PIZZA
CORN BEEF
S Crap
Fame Warhol Soup
Rood vlees is niet zo goed voor de volksgezondheid.
Boordevol tomaten!
'Zitvlees evenmin.'
My girl is RED
HOT
rood-borstje
1
2
3
FAN
Achterlichten zijn overal
KNAL ROOD
Alles is RODER in AMERIKA
Just Cruisin'
Die 3 biggetjes bouwen een feestje!
De rode loper loopt hier gewoon door...
night shade
Belladone
Wie speelde met die rode balpen
Rood met witte stippen?
Zeker giftig!
Bleke types worden rood langs buiten.
TOMAAT
Tomaat is het rode broertje van de familie Nachtschade.
Deze kreeft spreekt enkel Frans.
BIG in AMERIKA
Play
Cold
Opgelet! Rode appels kunnen giftig zijn.
witte huid
j'♥ la soupe Otto-mates
Kreeften worden rood door te koken.
ROCK LOBSTER
Wie te lang ondersteboven staat, krijgt een hoofd zo rood als een tomaat.
UP
DOWN
'We zijn er weer roodgloeiend bij!'
OXO
HOT
Maakt niet uit, straks worden we toch allemaal in de rode soep gedraaid.
RED
Rood-kapje! Waar ga jij heen?
chili pepper
pikante rode chilipeper
sin carne
Een watermeloen is rood vanbinnen.
Woede!
Je hoofd kan ook rood worden van
Schaamte?
Inspanning!
Concentratie?
PISKE d'Homard
Is dit wel soep?
FRESH PAINT
Ik maak er graag een soepje van!
rode besjes
aardbei

RUSLAND voor BEGINNERS
'De rode duiven?'
'Gingen die niet naar Spanje?'
union MATCH
READY DEVILS
de RODE DUIVELS / les DIABLES ROUGES (BELGIE/BELGIQUE)
Rood moet je vermijden bij het voetballen.
Siberia
BACK IN THE U.S.S.R
Rode wijn uit Georgië heeft een bittere afdronk.
De rode planeet!
Mars
'Spoed Nick!'
rode kruis
Sputnik
SPACE RACE
STOP in the name of LOVE!
Ook 's nachts hangt hier een rode gloed.
Virgin
City Tip
MALEVICH
MARK ROTHKO
RED LABEL
RED SQUARE
RED ARMY
(baila) Laika
Oh Nikita you will never know
NATALY
BIG in BELGIUM!
NO GOALS NO GLORY
SOCIALISMUS NOW!
Het RODE Plein
J'AI VU
MOCKBA
Красная площадь
WHO'S LENIN THERE?
Mogen wij posten over het Oosten?
'Doe-ma.'
Bij voetbal gelden andere kleurwetten.
rode kaart
KRIJG de KLEURE!
'Mierenneuker!'
'Vele armen maken het werk licht!'
gele kaart
Het is maar een spel!
We kunnen die rode vlag nog gebruiken!
scheids-rechter in het zwart
2 x geel = rood
Rode mieren zijn een beetje assertiever.
ALLO!
RED ALERT
Wie liet dit rode legertje ongeregeld binnen?
OLÉ OLÉ
ALLO!
'Wie deed het licht uit?'
'Weet niet!'
'Duw je eens op de rode knop?'
'Blijven lopen!'
Running gag
Deze rode schaaldieren komen uit Kamtsjatka.
De rode telefoon was een rechtstreekse lijn tussen Rusland en de Verenigde Staten.
Rood en groen zijn complementaire kleuren.
Die rode lopers worden straks nog de rode draad!
J'AI BU
Drink RODE wijn
BORDEAUX
Bordeaux is donker-rood.
Malta is een eiland.
SUN rise
Deze fles rode wijn is helemaal leeg.
De RODE Zee
lijkt wel een zomers badpak!
Tulpen komen oorspronkelijk uit Turkije.
De zon komt op in het oosten!
Is dit een kinder-ziekte?
Deze berggeit draagt de rode bolletjestrui voor de beste klimmer!
ZARA GOZA
Hoe VUELTA?
Een wijnappelsien is ook rood vanbinnen.
Ont-Spanje ;-)
OLÉ
In de Ronde van Spanje rijdt de leider rond in de rode trui.
BAR CELONA
SPANJE is meer dan STIEREN
'Bent u de rode lantaarn?'
MAD ride
kop noch staart
VUELTA
ossen-kop-stuur
el maillot rojo
een bloed-appelsien
in bloed-vorm!
Roze sokken werken als een rode lap op een stier...
Gelukkig zijn stieren kleurenblind!
Meer roze op de volgende bladzijden.
MEDITERRANEAN
C'est pas la mer à boire...
SEA ME!
bij ons in de JORDAAN
SUEZ
FATAH MORGANA
Is dit een strandbal?
carte GÉO-POÉTIQUE
Cairo
EGYPT
SAUDI ARABIA
Medina
Mecca
RODE ZEE #DODE ZEE
EMIRATES
OMAN
olietankertje
the Rolls
JEMEN
Khartoem
SUDANLY
GULF of ADEN
I'm not half the man I used to be...
Yeah man! Oh man!
Groeten uit het Midden-Oosten
I'm working on my tan!
zonne-factor

rood + wit =
ROZE
Roze was vroeger een jongenskleur. Ridders reden graag rond in rood en hun zonen droegen dan de gebleekte restjes.
In de lente staan de Japanse kerselaars in bloei.
'Hier waait een frisse lentebries.'
Een grijze wolf lust ook weleens een roze biggetje.
Stro!
Hout!
Steen!
roze krant
WALL STREET
$HUFFLE
Deze 3 roze biggetjes bouwen aan de toekomst en beleggen in grondstoffen!
the WOLF of WALL street!
PinkCadillac
PRETTY in PINK
'Zag iemand mijn mama?'
De zaken worden soms wat te rooskleurig voorgesteld.
Cherry
Blossom
girls
Een roze loper
is net iets feestelijker dan een rode.
'Waar is mijn chauffeur?'
PRETTY IN PINK
feestneus
SUPER ROZE BRIL
'Wat is er rozer dan een varkentje in een roze tutu?'
'Zag iemand mijn puppy?'
klein klein kleutertje
Deze reuzenpoedel ziet de wereld even niet meer door een roze bril.
'Wauw!'
'Auw!'
Veel rozen zijn roze!
Die kunnen doornen hebben.
Wie plukt hier al de bloemetjes af?
3 ballerina's!
a rose = a rose = a rose
Swan lake
1+1=2
Maar hoeveel is 2+2?
Tel op!
En 4+4?
Let op!
roze grapefruitsap
wonderbaarlijke
vermenigvuldiging
WARM WATER
Roze garnalen worden pas roze bij kooktemperatuur.
'Kunnen die steltlopers over water lopen?'
'Ik blijf toch liever een grijze garnaal!'
2+2=4

De sakura staat symbool voor het land van de rijzende zon.
for Boys & Girls
SAKURA
Babyolifantjes zijn zelden roze.
Sweet dreams
Zie jij roze olifantjes?
Deze konijntjes zijn pas getrouwd.
Just married
BABY
OTTO
Hier is het mooiste geschenk!
babyroze
BIG
Ze rijden nog op wolkjes.
een spaarvarken
BIG PINK
'Spek voor m'n bek!'
Varkentje van marsepein?
Veel roze voor lekkerbekken!
wit + rood = roze!
Nog meer snoep-roze!
toffee
ham
gekookte apps
ui
radijs
glazen Jozef
ijstaart
snoeptaart
lolly
ijs-lolly
LOLLY POP
'Doe me een lolly, wil je?'
'Da's tof!'
Deze drie dames maken heerlijk roomijs!
MEGA
PRETTY IN PINK
NOT JUST 4 GIRLS
Deze Japanse bergaap is ook bijzonder fotogeniek!
Ciao Bella
Bella Ciao
Met een roze Vespa win je geen wielerwedstrijd!
Iedereen houdt van een berg ijs!
NATIONAL GEOPOETICS
NOT JUST 4 GIRLS
Bella Ciao Ciao Ciao
GIRO
'Wij zullen dit varkentje wel even wassen.'
Paola
alo
cornetto
ola
North POLE
sorbet glacé
South POLE
Italiaans ijsje!
roze wolk
WATER mélon MAN
Sorbetijs wordt met water gemaakt.
Roomijs met room of melk.
Framboise
Fraise
Yoghurt is gezonder dan ijs.
Hoog tijd voor sport!
Bloemen!
'Zij heeft steil!'
Maar een ijsberg is moeilijk te bewaren.
Komen tulpen nog uit Amsterdam?
Gezonde blos!
Kus van de juf
Gebruiken mensen met verschillende huidskleuren verschillende pleisters?
DIAMONDS R.A.GRL'S B.F.
'Deze 2 roze panters houden van elkaar.'
en een plaats vooruit in het peloton!
In de Ronde van Italië rijdt de leider in een roze trui.
GIRO d'Italia
Er zijn meerdere truitjes.
PRET À PORTER
PARMA
PARMALAT
donker-roze panter
licht-roze panter
porte bagage!
klein klein kleurdertje
Vroeger werd deze stift 'huidskleur' genoemd.
Maar nu hebben we veel meer kleurtjes!
In Palermo speelt de voetbalploeg in het roze.
de Panini Ploeg

GRAN TURISMO

TOURBUS

'Hier steekt een stevige beeldenstorm op!'

PRETTY in PINK

Sweet dreams

C'est PARTY

VUUR WERK

NACHT

the DARK SIDE of the MOON

Zoete dromen zijn gemaakt van roze!

Sweet dreams

'Ook jongensdromen!'

's Nachts wordt roze een echte feestkleur!

CARNAVAL der DIEREN

COLORIBUS

La fille en rose

La vie en rose

Een babyfoon komt 's nachts pas tot leven.

Holiday on ice

à l'aise

these boots are made for walking

Happy Bday

suikerspinnen!

SUIKER SPIN

'De suikerspin werd uitgevonden door een Amerikaanse tandarts!'

Skating on thin ice

'Oei, die gaan toch niet over één nacht ijs!'

Een grote vis in een kleine vijver...

valt makkelijker te vangen.

sweet 16

Swan lake

Cadolala!

SHEEP

SLEEP

'Te zoet is ook niet goed!'

Die tandarts zag de zaken ook rooskleurig.

Het palet kleurt hier volledig roze!

'Een vrijgezel gaat pas laat slapen.'

suiker SPIN

'Hebt u soms last van roos, mevrouw?'

In een schoonheidssalon leeft iedereen in een roze wolk.

purperen kapsel

WATER melon MAN

PRETTY in PINK

'Als jullie denken dat ik zoet blijf met een zoethoudertje.'

pleister op een houten palet

ELLE

Javel Coco Chanel

Hoog tijd voor een tussentijds stukje taart!

NOG MEER FLAMINGO'S?

Deze grote roze vogels leven graag in grote groepen en houden dan een groepsballet.

zoethout

platvoet

Chique parfums matchen met roze garnalen.

LE PIED dans le plat

Ook wc-papier is soms roze.

∞ = oneindig VEEL!

FASHIONISTAS ON PARADE

Pretty Flamingo

roze BALETTEN?

roze TOILETTEN!

Les fla Les fla Les flaments Roses

Een Japanse apenkop krijgt een roze gezicht in warm water.

'Zijn dat rozenblaadjes?'

Flamingo's worden roze door de roze algen en garnalen die ze de hele dag eten in het water.

L'imagination au pouvoir!

in the name of LOVE!

Eau pour boire?

WARM WATER

DIEREN
there was something in the air that night
Deze sakura is wel al wat van zijn pluimen verloren.
'Nacht-uiltje knappen?'
JOIN this PARTY
Vijf varkentjes spelen samen muziek in dit grote houten huis.
the PINK SIDE of the MOON
Pink MARTINY building
PINK
TOWERS
BIG BUSINESS
'Ik dacht het niet!'
Cherry on the Cake
THE BAND
BIG PINK
BAND STAND
1967
BASEMENT
'Ik moet mij ook nog omkleden!'
NACHT
'Waar is mijn feestneus gebleven?'
music from BIGPINK
Inpakpapier bij de slager is roze geruit.
LEVEN
in de slagerij
Deze jonge vos kende al behoorlijk wat streken!
10 GALLONS
BIG PINK
BOB
68
DANK de Dj!
Van Kampen
'Grijs gedraaid!'
CHEZ PAUL
Dit plaatje gaat naadloos over in paars.
'Zeg, wie laat hier al die oude tapes slingeren?'
BASEMENT TAPE
Deze mandril wordt misschien Prins Carnaval dit jaar...
THIS WHEEL'S ON FIRE, MR TAMBOURINE MAN!
Raspberry Beret
Een mandril is een slingeraap.
...kan beter niet op de blaren blijven zitten!
KISS
PURPLE RAIN!
'Tot op de draad versleten!'
Wie z'n achterste verbrandt ...
PRETTY in PINK
CHANGEZ!
DIAMONDS & Pearls
snoeproze
'Geen kwade tong, Leon!'
A
spa roze
change PARTNERS
CLEAN X
ACHT
BIEREN?
Deze Prince was koning!
PAARS
Ook deze panters houden van elkaar!
Steeds op zijn paarsbest gekleed!
When Doves Cry!
Sweet dreams r made of this!
Fijn Feestje
POLONAISE
roze panter
PANTER
zwarte panter
change PANTERS
à l'aise
roze
blauw
roze + blauw = paars
Pink Lady
'Oh, neen! Dat dreigt hier op een polonaise uit te draaien!'
Onder de purp'ren hemel in de roze ZON!
paars
Lake
Flamingo
'Waar moet dit allemaal heen?'
'Oppassen geblazen!'
'Warme lucht!'
Just married!
rose
BARCA
'Nachtschade?'
Swan Lake

BLAUW
was ooit de duurste kleur!
Blauw is de kleur van lucht en water.
Kleurstoffen kwamen soms van de andere kant van de wereld!
Lapis lazuli
De aarde heet niet voor niets de blauwe planeet.
MAISON BLEUE
99 LUFT ballons
Vanop afstand ziet alles er ook blauwer uit.
Maar blauw was ook de kleur van het volk.
CREMA
PAR BLEU!
Crema
PIERRE
BLEUE
'Wow! Het dak gaat eraf!'
'Waar zit die blauwstaart?'
Vliegt de Blauwvoet?
Storm op zee!
Er is niet zo veel blauw voedsel.
prium
blauwe druiven
spa blauw
blauwe bessen
of blauwe M&M's?
'Blauwe bonen zijn kogels.'
Water wordt vaak blauw afgebeeld.
nel blu
dipinto di blu
'Jij wordt nog een héle grote, Pablo!'
VOLARE
EZEL
STUDY
blauwe plas
WOEL WATER
WHIRL POOL
Kalme Leon
Oom T*M T*M!
Pi8casso
Deze 3 zondagsschilders zitten in hun blauwe periode.
Drinken artiesten alleen maar water?
Deze 2 blauwe beren hebben zeebenen.
WHISKY
WIEK
BLUE PRINTS
Een blauwdruk is een strak plan.
VEEL BLAUW! TINTEN
BLAUWE TINTEN
SMURF
FRESH PAINT
Smurfin lijkt ook echt op Mevrouw Pejo.
'Da's niet pejoratief bedoeld!'
Waarom is inkt vaak blauw?
'Zou een pauwenveer mooier schrijven dan een ganzenveer?'
Er wordt verteld dat de vrouw van de tekenaar op een blauwe maandag de kleur van de smurfen koos!
SCHTROUMPF
THINK
Zeer Zeker
Is een pauw blauw?
'Waarom heb jij zulke grote ogen, grootmoeder?'
AZUL
Azulejos zijn blauwe tegeltjes uit Portugal.
AZULEJOS
PORTUGAL
'Om al die blauwtinten beter te zien!'
Servies Service
VENI VIDI VICHY
Brabants bont heet Vichy in het Frans.
If you are going to San Francisco
BLUE
be sure to wear some flowers in your hair
JEANS
Spijkerbroeken komen uit het Verre Westen, maar de huifkarstof waarvan ze werden gemaakt, kwam eerst uit Genua – daarom 'jeans' – en dan uit Nîmes – daarom 'denim'.
Far WEST
GRAMMAIRE
Porselein kwam uit het Verre Oosten.
Delfts blauw begon als goedkope namaak.
Fort
GAZ
Blauw vuur is geen koud vuur.
Serge de
NÎMES
GENUA
De broeken moesten natuurlijk vooral sterk zijn...
vandaar de spijkers (op laag water).
BABY MAKES HER BLUE JEANS TALK
GOLD RUSH
Vóórzichtigheid is de grootmoeder van de porseleinkast.

ok in de luchtvaart is
lauw enorm populair!
This is your BiG smurf smurfing!
AIR BUS
Brieven werden ooit met de hand geschreven op LICHTBLAUW papier!
A PRIOR
AIR MAIL
Vandaag gaat bijna alle mailverkeer via 'the cloud'.
Het ging ook veel trager!
'Wel sneu voor de postzegelverzamelaars.'
Groeten van de POLEN!
Blauw is koud.
luchtpost
Wist je dat de smurfen hun eigen vliegtuig hebben?
'Kunnen jullie door een waterkraan?'
'Welkom aan boord van de berenboot!'
TOM from Vinland
iGLO!
North POLE
IJsberen leven op de Noordpool.
no soy marinero soy Capitan
iGLO!
een school visjes
Water lijkt blauw door de luchtweerkaatsing.
Pinguïns komen uit het zuiden.
South POLE
zee-meer-man
zee-meer-min
min of meerpaal
SIRENE
Aan gladde rotsen hoor je soms sirenegezang!
440/R
Er was ooit een Bluebird boot, maar die zonk uiteindelijk.
Deze zwaantjes hebben geen sirene of blauw licht.
Octopussen zijn inktvissen.
OTTOPUSSY
PUSSY
'Ik kou van blauw.'
'Laat mij lauw.'
olie-vlek
BiG BUBBLE
Deze blauwe vogeltjes hebben elkaar altijd veel te vertellen.
I'm a bluebird
I'm a bluebird
Bluebird is ook de naam van een auto die speciaal gebouwd werd om het snelheidsrecord op scherp te stellen.
Sir Ian's BLUEBIRD LAND SPEED RECORD CAR
Blauwtje gereden!
440/R
Miles of kilometer?
'Waar is mijn Engelse sleutel?'
der blaue Engel
donker-blauw
licht-blauw
Deze blauwe engel zag het zwart-wit, maar liet daarna alles blauwblauw.
Heel donker-blauw!
'Ik had al zo'n donkerblauw vermoeden...'
AN DER SCHÖNEN BLAUEN DONAU
PAR BLEU!
Blauwbaard liep waarschijnlijk net een blauwtje te veel.
BLUE PRINCE
BiG DATA
'Las iemand ooit De Blauwe Vogel van Maeterlinck?'
'Ik ben dol op deze vogeltjes-dans!'
FAT CAT
rood tot achter de oren
'Oh mijn blauwe geschelpte!'
Ce n'est qu'un BLEU!
koude douche
'Vlinders in de buik?'
'Zeg het met bloemen!'
Koud water is de blauwe knop!
'Wij zijn wel de enige echte bluebirds!'
Kijk wat deze blauwe reiger nu weer ving.
merikaanse sterachtigen
BiG in France
Blauw Bloed
PIERRE BLEUE
Henegouwse blauwsteen
TOM
BLAUWBAARD
AKA HENRI VIII
ook geen brave Hendrik!
Een blauwe balpen is een Franse uitvinding.
Deze jonge prins viel voor een blauwbloedige hartenkoningin.

Wanneer iemand triest is in het Engels, dan heeft hij de blues.
Blue Bayou
BLUE BY YOU
'Ik heb thuis ook zo'n blouse!'
een blauw veld met gele sterren?
EUREKA! EUROPA
MAISON BLEUE
zijn intussen met 28 euh 27
EXIT
Atlantis
I'm swimming in the rain
North Sea Jazz Festival
Mare Nostrum?
Is blauw ook de kleur van de macht?
Blauw is natuurlijk ook de kleur van de nacht.
ENCYCLOPÆDIA TITANICA!
'Opgelet voor smeltend ijs!'
'Tussen ons is het ijs toch al lang gesmolten?'
L E G R A N D
blue ice
baby's got blue ice!
ICE ICE Baby
'Blauw en oranje zijn complementair.'
'Niet alle baby's hebben blauwe ogen, maar wel heel veel.'
Côte d'azur
nouvelle vague
Nog meer jeans?
far WEST
THE JEANS GENIE!
'Tot weerjeans!'
LEVI
STRAUSS
'Als je met je jeans in bad gaat, zit hij daarna als gegoten.'
after the GOLD RUSH!
'Dat lijkt hier wel een kruistocht in spijkerbroek!'
Fotto
BLUE NOTE
LEVIS
Blauw-paard?
Blauw-bloes?
Sea Lion Woman
albums
facebook blue
MOOD INDIGO GRL
She Lyin Woman
Die spijkerbroeken werden goed getest in het Wilde Westen.
BLUES
blue eyes
Blauw is populair.
'Ik heb me nog niet helemaal ontpopt.'
& plaatjes
DELTA BLUES
Hier zijn nog enkele notoire nachtvlinders.
baby's got blue eyes
Bach 2 Blues
B.B.
JOHN LEE
Van the Man
ABBA
THANK YOU for the music
ROLL OVER BEETHOVEN
Worden ogen echt blauwer door te huilen?
Blue Benny Hill?
Almost Blue
Blue Jeans
elvis
leefde op grote voet!
Blue
'Zweet-voet?'
LEON
BLUE SEAL
BLUES BROTHERS
Blue Velvet
Suède Shoes
Shoes
De blues heeft de toon gezet voor alle populaire muziek.

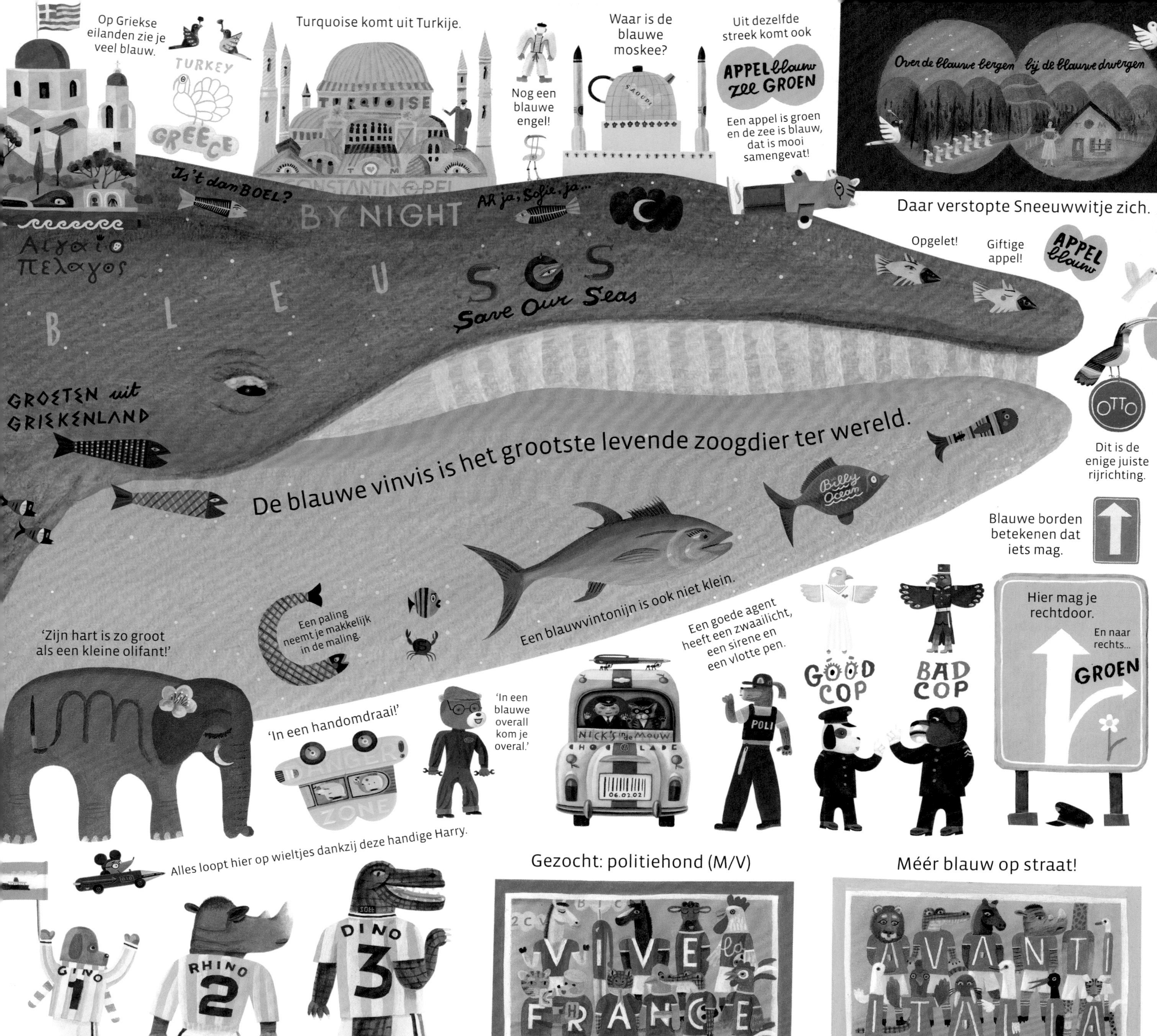

Alles loopt hier op wieltjes dankzij deze handige Harry.

GINO 1

RHINO 2

DINO 3

Wie helpt onze vrienden hun team terug te vinden?

Gezocht: politiehond (M/V)

Méér blauw op straat!

Veel voetbalploegen spelen graag in het blauw.

Soms hebben judoka's ook een blauw pak.

Otto heeft al een blauwe gordel.

En ook Rusland, Uruguay, Nicaragua, Cambodja, Japan...

GROEN
geel
+
blauw
blauw
+ geel
= groen
ZEE-
GROEN
Groen is natuurlijk de natuurlijke kleur van de natuur.
BANANA BOAT
'Zijn die bananen nu nog altijd groen!'
BANANA
BOAT
song
Paradisco
Jamaica
Oh my island in the sun...
Groeten uit Groenland
ERIK
Groenland is helemaal niet groen, maar werd zo genoemd door Erik de Rode. Hij hoopte andere Noorse kolonisten warm te maken voor deze frisse bestemming.
Vandaag maken de inwoners zich vooral zorgen over de smeltende ijskap op dit rotsachtige eiland.
VIKING
PARIS
DRAKKAR
'Ik ben een kaper.'
Wiki de wiking!
DRAKKAR
Bij een groene vlag mag je zwemmen.
Een drakkar is een Vikingschip.
Paradiso
'Wat is groener dan 4 parkieten in een appelboom met 12 vruchten?'
Brazil
I ♥ EVER GREENS
TOM
In een landschap kan je oneindig veel groenvarianten onderscheiden.
Adam was nog wat groen achter de oren.
Hi
fris groen
BIG APPLE
Hi
I ♥ NY
groene tuin-slang
vijgen-blad?
rubber-laarzen
13
Geen Pink Lady!
Volgens sommigen is Brazilië het paradijs.
Nº1 OCT 1888
NATIONAL GEOPOETIC
Brazil
Granny Smith
Deze oudjes houden nog steeds van elkaar als 2 frisse groentjes.
GREEN DADDY
'We lijken ook erg op elkaar.'
APPEL blauw
LION
BIG apple
'Dat is wel een heel grote appel!'
Fox tale
ROBIN HOODY
GREEN
bloemen-fontein
hand-boog
In Sherwood Forrest draagt iedereen al eeuwen 'Lincoln groene' kleren.
'Ik schiet met een kruisboog.'

Oude computer-schermen waren zwart met groene letters. -enter-
ALL
GREEN
REGEN
'Waarom zouden marsmannetjes groen zijn?'
wolken-krabber
Wanneer koper in contact komt met lucht en water wordt het groen.
%%%%
'Ik ben een koper!'
1 €
Witch Way?
GREENWITCH
'Ik probeer het toverzicht te bewaren!'
MOON
The moon lacht groen.
TYRANNO SAURUS REX
VISION AIR
Volt air
Northern Light
Sommige mensen reizen naar het noorden om daar het licht te zien.
AURORA BOREALIS
Het noorderlicht is ook lichtjes groen.
'Dat is goedkoper!'
LIBERTY
De Vikingen ontdekten Amerika als eerste.
Het Vrijheidsbeeld is ook helemaal groen geworden.
Groen van nijd?
What's the colour of money?
'Munt-groen?'
'Laat het geld maar groeien.'
CA$H CA$H
Een 'green' is ook een golfterrein.
COLOSSUS
HOLE in 1!
GREEN
Dino's waren ooit GROOT en GROEN!
cache
cache
herbi-voor
herbi achterste
'Oh neen, niet weer een planteneter!'
TYRANNO SAURUS NEXT
Zouden er nog ergens dinosauriërs verstopt kunnen zitten?
Deze 2 reuzen waren waarschijnlijk planteneters.
De afstammelingen van deze reuzenreptielen zijn wat kleiner, maar kunnen nog stevig bijten.
GO·FISHING
camouflage
Wat is het verschil tussen een krokodil en een alligator?
Krokodillen hebben een langere en smallere snuit.
GET OF MY BEK!
'Paling in 't groen?'
Drs. T
'Opgelet voor krokodillen!'
'Bespaar ons de dril, papa!'
Mannetjeseenden hebben een groene kop.
Ook in het water is er heel wat groen te ontdekken.
'Waar blijft die groene stroom?'
See you later ALI GATOR

groen
is ook de naam van een politieke partij.
Terwijl het buiten koud is, kunnen de planten in een warme serre groeien.
'Dat loopt hier niet goed af!'
Wat is een broeikasgas?
Gas komt vrij bij verbranding.
groendak
Maar dat gas blijft gevangen in de atmosfeer rond de aarde.
'Een serre is een broeikas!'
Broeikasgassen warmen de aarde op!
groene vingers
Kan je bananen in een serre kweken?
'Zouden marsvrouwtjes ook groen zijn?'
De vrouwtjes komen vaak van Venus.
VENUS
MARS
venus de mars
gezonden door de oorlogsgod Mars!
Er zijn ook veel groene vlaggen. Rood en groen zijn complementair!
'Dat ga hier ie kosten
plantenRIJK
GROENE gedachte
mens-DOM
THINK TANK
¡INGERUKT!
'Groentjes!'
MARS!?
'Dit lijkt een oorlog van oude krokodillen.'
'Het leger staat als één man achter dit... struikgewas!'
Nessie komt elke zomer boven water.
KAKI
Willy's volgende wagen wordt waarschijnlijk weer een groene.
'Zijn dat echt rupsbanden?'
'Is een jpg een jeep met pech
Zie jij alle vogels in de bomen?
JUNGLE boek?
Willy's jeep!
proper gewassen
JUNGLE WAR!
WHOA OH OH OH
Sorry Rhino, maar dit is geen geslaagde camouflagetechniek!
CAM.U FLAGE
ZIJDE Rups ROUTE
CAMOUFLAGE
bamboe
ALL WE R SAYIN
KAMI KAZE
GIVE PEAS a chance
Suske WeeD
Als je de kleuren van je omgeving overneemt, doe je aan camouflage!
Groen is de lievelingskleur van alle soldaten.
See you later illustrator
gifgroen
groene baret
This is an awful BIG maRHINO!

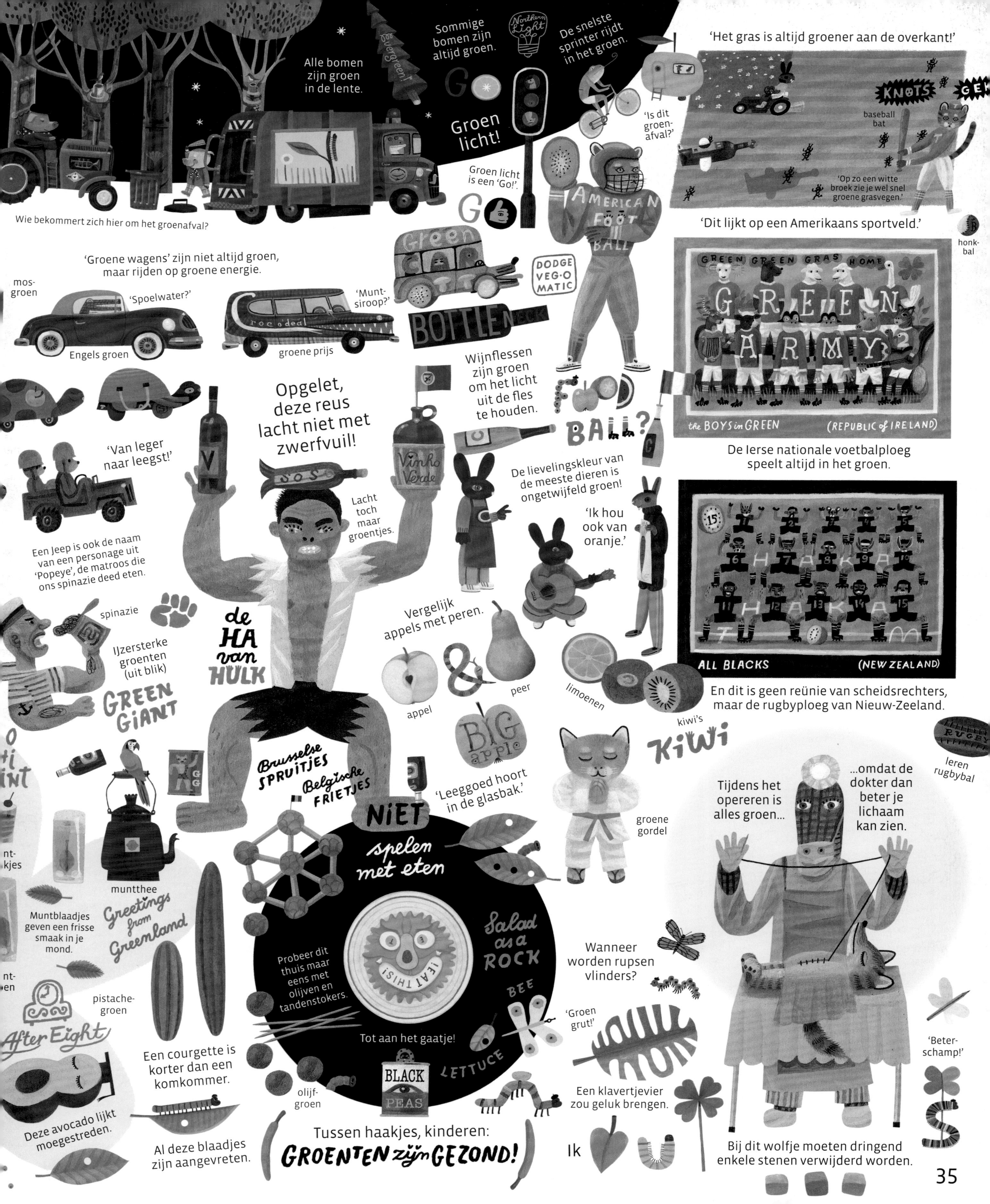
Alle bomen
zijn groen
in de lente.
evergreen!
Sommige
bomen zijn
altijd groen.
Northern Light
De snelste
sprinter rijdt
in het groen.
Groen
licht!
Wie bekommert zich hier om het groenafval?
'Is dit
groen-
afval?'
Groen licht
is een 'Go!'.
'Het gras is altijd groener aan de overkant!'
KNOTS
baseball
bat
'Op zo een witte
broek zie je wel snel
groene grasvegen.'
'Dit lijkt op een Amerikaans sportveld.'
honk-
bal
AMERICAN
FOOT
BALL
'Groene wagens' zijn niet altijd groen,
maar rijden op groene energie.
mos-
groen
'Spoelwater?'
Engels groen
'Munt-
siroop?'
groene prijs
Green
DODGE
VEG-O
MATIC
BOTTLENECK
GREEN GREEN GRAS HOME
GREEN
ARMY
the BOYS in GREEN
(REPUBLIC of IRELAND)
De Ierse nationale voetbalploeg
speelt altijd in het groen.
Wijnflessen
zijn groen
om het licht
uit de fles
te houden.
Opgelet,
deze reus
lacht niet met
zwerfvuil!
BALL?
'Van leger
naar leegst!'
Vinho Verde
SOS
Lacht
toch
maar
groentjes.
De lievelingskleur van
de meeste dieren is
ongetwijfeld groen!
'Ik hou
ook van
oranje.'
Een Jeep is ook de naam
van een personage uit
'Popeye', de matroos die
ons spinazie deed eten.
spinazie
IJzersterke
groenten
(uit blik)
GREEN
GIANT
de
HA
van
HULK
Vergelijk
appels met peren.
appel
peer
limoenen
HAKA
ALL BLACKS
(NEW ZEALAND)
En dit is geen reünie van scheidsrechters,
maar de rugbyploeg van Nieuw-Zeeland.
BIG
apple
kiwi's
KiWi
RUGBY
leren
rugbybal
Brusselse
SPRUITJES
Belgische
FRIETJES
'Leeggoed hoort
in de glasbak.'
Tijdens het
opereren is
alles groen...
...omdat de
dokter dan
beter je
lichaam
kan zien.
groene
gordel
muntthee
Muntblaadjes
geven een frisse
smaak in je
mond.
Greetings
from
Greenland
NIET
spelen
met eten
Salad
as a
ROCK
Probeer dit
thuis maar
eens met
olijven en
tandenstokers.
I EAT THIS!
BEE
Wanneer
worden rupsen
vlinders?
'Groen
grut!'
pistache-
groen
After Eight
Tot aan het gaatje!
LETTUCE
'Beter-
schamp!'
Een courgette is
korter dan een
komkommer.
BLACK
PEAS
olijf-
groen
Een klavertjevier
zou geluk brengen.
Deze avocado lijkt
moegestreden.
Al deze blaadjes
zijn aangevreten.
Tussen haakjes, kinderen:
GROENTEN zijn GEZOND!
Ik
Bij dit wolfje moeten dringend
enkele stenen verwijderd worden.

De plaatjes worden bruin.
De blaadjes worden
BRUIN
GOLD & BROWN
Veel oude dingen zijn bruin.
oude zak- horloge
sepia
YOU
ARE
MY
BROWN
GIRL
bruin haar
bruine ogen
ROKEN IS OUT
nom d'une pipe!
Dit is geen pijp en kop!
GOUD OUD
De tijd geeft spullen glans!
kastanje-bruin
eikenblad
eikel
'Dit hol zit vol!'
Oude foto's zijn vaak sepiakleurig, genoemd naar de inkt van een zeekat.
rood-bruin
licht-bruin
'Ik ben geen gorgeldier!'
Is dit een gordeldier?
De goudgele zon maakt mensen bruin.
'Blijven smeren!'
Bakken & Braden
Deze diertjes werken aan de herfstcollectie.
'Ik heb ook nog andere kleuren!'
Bruin is een constante in de najaarsmode.
De meeste dieren in het bos hebben een bruine vacht.
CAT
herfst-palet
Bruinkool is een fossiele brandstof.
de MOEDER van alle KLEUREN!
De modder van alle kleuren?
Wanneer je alle verfjes met elkaar mengt, heb je veel kans dat alles bruin wordt.
Bruine beren worden echt niet bruiner door te zonnen.
Je hebt bruine beren in alle tinten.
Ik ben GEEN fossiel!
'Bruine kolen?'
'Tijd voor een goed glas.'
grijs-bruin
donker-bruin
Je m'appelle Canelle!
kaneel-bruin
Deze verre voorouder van de olifant had lang bruin haar (voor zijn ogen!) en at met extreem lange tanden.
'Bweurk!'
Cafe
bruine kroeg
'Dag Bruintje.'
'Dag Bruintje.'
misschien is ie daarom wel uitgestorven
Zonder vocht wordt alles dor en bruin...
bruin bier
bruin brood
mega-mammoet-drolletje
bruin leer
MAM MUTI
bruine
pantoffels
Mam moet daar niet mee opgezet geweest zijn.
... en droogt alle inspiratie op!
Ik zag 2 beren 'm stiekem smeren.

Dit rendierhuis is helemaal van hout.
Deze huizen zijn voor een deel van hout.
'Kijk eens naar het vogeltje!'
Vogeltjes, hout en leer houden niet zo van de sneeuw.
Zijn we nu in Zwitserland?
Of weer in Nederland?
Thijs Van LEER
LEDERLAND
Hij houdt het graag simpel!
Deze stapschoenen gaan graag op stap.
toffee
bouchée
Uit de oude doos:
SHOE BOX
Vroeger moesten oude vrouwtjes hout sprokkelen!
Hout is meestal bruin.
een houten hondenhok
SPARTAN
ZERA
De Zwitsers zijn misschien prima verkopers,
maar de Belgische chocolade is de allerlekkerste.
Brusselse wafels!
'Hé, Claire!'
chocolate
ZWARTE KAT CHAT NOIR
GEBACK BISCUITS KOEKJES BISCUITS COOKIES DANDYS
Oude meubels zijn vaak houten meubels.
koffie + melk = lekker
zwarte chocolade 100% cacao
SOAP
Zelfs tv-kasten waren ooit van hout!
En ook deze vloer is van hout.
zwarte koffie + witte melk = lekker bruin
FLOWER
bloem-
suiker
witte producten!
PHILIPS BISCUITS
Caramelito!
BRAUN SUGAR
FLOUR on the FLOOR
IK GEBAK
Is dit nu een zeekat?
Bij de BANKETBAKKERij
... bakt Bakker Boeba zoete broodjes.
Hou die pan in de gaten!
bruine suiker en stroop
geraffineerde suikers
Toast!
'De kat mag mee!'
peperkoeken hartje
suikerbrood
Deze cake is aangebrand!
'Komt voor de bakker.'
Vlaamse vlaai
Saving Grace!
bruin brood
groot brood
Het hele palet aan bruintinten!
WORLD CUP CAKES
ZWARTE KASSA
KASSA KASSA
'Gesneden!'
'Waar zit Otto nu weer verstopt?'
Maître Pâtissier
ik cake jij cake hij cake zij cake ...
Deeg wordt pas bruin wanneer het wordt gebakken.
degelijke rol
zanddeeg
Hola! Kalme Leon treedt spelregels met voeten!
Wereld-Kampioen-Schamp
Deze bruinvissen voelen zich hier als vissen in het water!
'Nooit bruin water drinken!'
'Opschepper!'
NIET spelen met eten
Peper Bach Rider
HONDJES
'Dat is zeker een wisselbeker?'
'Is dit écht wat ik denk dat het is?'
CARGO
SLOW COOKING
drolletje
holletje
Voeten vegen!

Groeten uit
Chocolate TOWN
Summer in the city
In de zomer kun je in de stad bruinen boven op een dak!
ROKEN IS OUT
sigaren uit de oude doos
'Zijn wij eindelijk uitgerook
CLOSE BUT NO CIGAR
Carla Brownie?
BROWN
Brownies maken is
a piece of cake
'Let toch op wanneer je het smeltpunt bereikt!'
BRANDLADDER
FIRE ESCAPE
Deze oude grote banken torenen boven alles uit, maar is ons geld hier wel veilig?
BIG BANQUE
CAFE
'Warme chocolade is heel lekker, hoor!'
HOT
chocolate
MELLOW cake
'Ons zwart geld ligt al lang te zonnen in Panama!'
UPS & DOWNS
Moddervette bruine brij!
TOTAL S MELT DOWN
TOSTADOS UNIDOS
Roesten gebeurt wanneer water, lucht en ijzer te lang samen zijn.
'Brownstones' zijn oude huizen waarvan de zandsteen bruin wordt door roest.
'Wij zijn nog op zoek naar jonge honden.'
HOT DOG
In de herfst kleurt alles bruin.
FRED
BOXER
I'm just a BOXER...
De hele buurt wordt uitgekamd.
De tijd bepaalt het palet.
schoenmaat
leren laarsjes
Mevrouw De Vos heeft haast een hele harem hondjes!
Alle honden aan de leiband!

Ook buiten de stad is er heel wat bruin.
Deze oude goederentrein rijdt niet op bruinkool, hij rijdt op steenkool.
YOU MUST TAKE THE 8 TRAIN
Rusty Springfield
aarde-bruin
'Ik zie de Sint-Rombouts-toren al!'
TERRA
Dit bruine veld is bijna helemaal omgeploegd.
AMERICAN
FIELD
SERVICE
'Brownfields' zijn vervuilde gronden die een nieuwe bestemming krijgen.
Aardig bruin allemaal!
bruine gordel
Snoop Dog?
Wie woont er in dit houten huisje?
Niemand heeft graag een mol in zijn tuin, maar wel op de buis.
SOAP
Charles Brownie!
Big Burger
BIG BURGER
Lams-, ham- en veggieburgers mogen best bruin gebakken worden.
RUST
Als je ijzeren spullen niet onderhoudt, gaan ze roesten.
ROEST
Wim Delvoye!
redelijk roestige opschepper
RUST BELT
In een houten ton kun je veel water opvangen.
roestig slot
IK U
VEEL GELUK
'Bruinhemden en bruine brigades hebben hier echt geen plaats meer!'
'Roestig aan, hè!'
SUMMER
STONES
LATE
'Modder-vette beats!'
Bye Bye, Bruin!
Wat zou er nu nog kunnen komen...?
PaPa's GoT a Brand New Bag!
Delvaux?
GEZOCHT Voetbalploeg in het BRUIN!
GRUPPO SPORTIVO
de Panini Ploeg
een prikbord van kurk
The hardest working man in showbizz!
Wel honderd honden!
Bruin is tijdloos en stijlvol.
GUITAR
Beige is heel licht bruin.
James BRAUN

'Deze kleuren raasden al voorbij...'
grijs
WIT
ZWART
'Gaan we nu vooruit? Of achteruit?'
geel
oranje
rood
blz. 7 → 9
10 → 11
12 → 15
16 → 19
20 → 23

'… en hoe mooi is het als alle kleuren samenkomen!'

ALLE KLEUREN SAMEN
スプラッシュファンタジア
Cherry on the Cake
lente
A PLAN FO
ALL SEASON
NINE O CLOCK BUS
PATCH WORK
Hier komt de zon op!
la vache qui rit ;-)
HOLY COW
GREEN DADDY
Sweets dreams r made of this!
Elk seizoen bekent kleur!
~~Straw~~berry ~~Fields~~ Forever
Rasp Beret
eine kleine NACHT MUSIK
UNITED COLORS

HERE comes the SUN
à COLORIER!
imaginair
sun
sun
sun
zomer
very special OLYMPIX
Beehive
AMOR
Sugar Sugar
Il Postino
DE VERENIGDE KLEUREN!
MAYO JAUNE
When I think back on all the crap...
Béarn à l'aise
TOUR de FORCE
OTTO FINISH
OTTOMATIE
THINK TANK
Quattro Stagioni
¡Ola! Paloma Blanca
Vamos a la playa
Summer
la Bicicleta
GIRO
WATER mellon MAN
'Waar is Otto?'
SURF
EVER GREEN!
LE GRAND
that is Colore
RED HOT chili*pepper
BANANA BOAT
ik ♥ kip
Crema
Cow Grl
TOO MANY EMOJIS
COOL
SUN
BUS
901
STOP
PABLO
PICASSO
CARGO
Il faut cultiver son jardin
See you later illustrator

Weekend WORK it out!
WEEKEND WORK? NEIN DANKE!
the Ensor, my friend, is blowin in the wind.
Behave
sun
sun
sun
KODACHROME
¡no me moleste MOSQUITO!
herfst
TERRA
Onder de zilv'ren hemel in de gouden ZON!
TANGERINE DREAM
gouden gids
Give us those nice bright COLORS!
Honey Honey
TOM'S DINER
dadadada
Adios
OOST WEST THUIS BEST
O.J.
HOTEL mama
Costa del Sol
ORANGE COUNTY
ALLMEN BROTHERS
¡Hola! Paola
NACHT RAVEN
HOLY COW
SUN BATH
B L A N C
¡Hallo!
mama mia!
TABASCO
COUCH POTATOE
GREENWICH
BEACH BOYS
tiera del FUEGO
KRIJG de KLEURE!
BEACH BALL
nouvelle vague
zwijn
STEIN
POLE POLE
BEACH
L'été Indien
BUS
lalala
REBUS
BRANDWEER!
MARK ROTHKO
CAMOUFLAGE
OPPOSITES
ATTRACT
VENI VIDI VICHY
Indian Summer

KiSS
GLOBAL WARMING
SANTA CRUISE
4 SEIZOENEN IN 1 DAG!
En hier gaat de zon onder.
When the moon hits your eye
LAPOSTE
the DARK SIDE of the MOON
winter
Black = Beautiful
RED ARMY
BILL BOARD
High tea
Liber
Peas in our time
VOLARE
nel blu
dipinto di blu
otto Route
PRET À PORTER
Orange Blossom
PATCH WORK
JOHN REINDEER
DON'T YOU EAT THAT YELLOW SNOW
NIGHTMARE on ELMER street ;-)
Who Chocolala?
SPARTAN
Chocolate TOWN
Côte d'Or
FULL COLOR JACKET
Ça passe vite, non?
COLORIBUS
non DISPUTANDUM est
¡VIVA! ZAPATA
mardi gras
PARADE
BIG YELLOW TAXI
Blue Bayou
Skating on thin ice ;-)
Einde!
that's Colore
FOURMIDABLE!